Plus de 160 blagues en poche

Tome 6

Plus de 160 blagues en poche

Tome 6

Des blagues de F. Lelarge
illustrées par Nicolaz - F. Ruyer - F. Tessier

1 La maîtresse regarde le travail de Thomas.
- Qu'est-ce que tu as dessiné, ici ?
- Ce sont des extraterrestres.
- Des extraterrestres ? Mais personne n'en a jamais vu, tu ne peux pas savoir à quoi ils ressemblent !
- Eh bien, en regardant mon dessin, on le saura certainement !

2 - Si je te donne deux bananes, et puis encore deux, combien est-ce que tu auras de bananes en tout ?
- Euh... Je ne sais pas. À l'école, on apprend à compter avec des pommes.

• • •

3 Mon chien est très bien dressé : quand j'arrive à la maison, il m'apporte mes pantoufles !
- Peuh ! Mon cochon fait beaucoup mieux : quand il me voit avec une bouteille de vin, il met sa queue en tire-bouchon !

4 Le maître demande aux élèves :

- Une maman a six pommes qu'elle veut partager entre trois enfants. Comment peut-elle faire ?

Rémi lève la main :

- Elle peut faire de la compote, maître !

5 - Mamie, est-ce que tu as de bonnes dents ?
- Oui, j'ai encore de très bonnes dents !
- Super ! Tu peux surveiller mes caramels ? Si quelqu'un s'en approche, tu le mords !

• • •

6 La maîtresse explique :
- 6 + 3 font 9, de même que 8+1 , 7+2, 5+4, 3+6, 2+7...
- Mais, s'écrie un élève, effrayé, tout fait 9, alors !

7 Marie, si tu n'écoutes pas, je vais demander au père Noël de t'apporter de nouvelles oreilles plutôt que des jouets !
- Oh oui, maman, demande-lui alors directement des oreilles avec des jolies boucles d'oreilles !

8 Un petit garçon demande à sa mère :
- Maman, quand je dormais dans ton ventre, j'étais tout nu ou en pyjama ?

• • •

9 Jeanne revient de chez le dentiste.
- Est-ce que ta dent te fait encore mal ?
- Je ne sais pas, maman. Elle est restée chez le dentiste.

10 La maîtresse gronde Toto parce qu'il arrive en retard à l'école.
Toto :
- Ce n'est pas ma faute : j'étais dans un avion, je me suis un peu trop penché et je suis tombé. J'ai voulu me relever, mais je n'ai pas vu venir un cheval qui m'a renversé. J'ai rebondi sur une auto rouge mais, finalement, ce qui m'a fait le plus mal c'est quand je me suis cogné la tête à une soucoupe volante...
La maîtresse se fâche :
- Tu te moques de moi, Toto ? Tu t'imagines que je vais te croire !
Toto se défend :
- Mais c'est vrai ! Vous pouvez demander au patron du manège !

11 Un petit ours polaire demande à sa mère :
- Maman, est-ce que je suis un vrai ours polaire ?
La maman :
- Évidemment que tu es un vrai ours polaire, mon petit ! Ton papa et moi sommes de vrais ours polaires, tu es donc aussi un vrai ours polaire !
Le petit ours, pas très rassuré, va voir son père et lui pose la même question.
Son papa ours lui répond alors :
- Mais oui, tu es un vrai ours polaire... Ta maman et moi sommes de vrais ours polaires, tu es donc aussi un vrai ours polaire !
Le petit ours polaire, toujours inquiet, va voir son grand-père et lui pose la même question.
Le grand- père ours polaire lui affirme :

- Mais oui, petit nigaud, t'es un petit ours polaire puisque ta grand-mère, nos enfants et moi sommes de vrais ours polaires ! Pourquoi me poses-tu cette question ?
Le petit ours polaire :
- Parce que j'ai froid !

• • •

12 Une olive verte voit passer une olive noire.
- Wow ! Tu es superbronzée ! Tu reviens de vacances ?

• • •

13 Deux voleurs sont dans une gare.
- On prend le train ?
- Je veux bien, mais on va le cacher où ?

14 Un type se présente auprès d'un directeur de cirque et lui dit :
- Je fais un numéro très, très spectaculaire : je lance une masse de cinquante kilos que je rattrape avec la tête !
Le directeur, étonné, l'engage et lui dit qu'il peut commencer le soir même. Le spectacle commence. Vient le tour du type qui lance en l'air une masse de cinquante kilos et la reçoit sur la tête... Bien entendu, il est complètement assommé et on le conduit à l'hôpital. Le lendemain, il se réveille avec un grand sourire, il écarte les bras, et s'écrie :
« ET VOILÀ !!! »

15 - Adeline, toi qui es allée en Angleterre cet été, dis-nous comment s'appellent les habitants de ce pays ?
- Je ne peux pas, je ne les connais pas tous !

• • •

16 Un gamin à un marchand de fruits et légumes :
- Je voudrais une douzaine de bananes.
- Tu les aimes tant que cela ?
- Non, pas tellement, avoue l'enfant, mais j'ai reçu en cadeau une panoplie du petit infirmier et, en jetant une douzaine de peaux de banane sur le trottoir, j'ai une chance de pouvoir jouer avec...

17 En Afrique, deux chirurgiens vétérinaires viennent de finir d'opérer un éléphant.

- Très bien, il est recousu ! Tu n'as pas oublié d'instrument dans son ventre, au moins ?
- Non, bien sûr ! En revanche... tu n'aurais pas vu l'infirmière ?

• • •

18 Maman et papa s'apprêtent à aller au restaurant.

- Chéri, comment veux-tu que je m'habille ?
- Je voudrais que tu t'habilles... VITE !

19 Énigme : Un clown qui pèse 88 kilos doit traverser un pont. Il veut emporter trois balles de 1 kilo chacune. Le problème, c'est que le pont ne peut supporter plus de 90 kilos. Comment peut faire le clown pour traverser, avec ses trois balles, en un seul voyage ?

(Réponse : Il jongle, en essayant de toujours avoir une balle en l'air.)

20 - Les maîtres d'école sont tous bizarres.
- Pourquoi ?
- Eh bien, quand on est à la maternelle, ils nous apprennent à bien parler, et, une fois qu'on arrive à la grande école, ils nous demandent de nous taire !

• • •

21 Deux lions regardent une trousse médicale, posée à côté d'eux.
- C'était un bon vétérinaire, tu ne trouves pas ?
- Ouais. Dommage qu'il n'en reste plus, j'en aurais bien repris un morceau...

22 - Maman, tu ne veux pas me laver la figure ?
- Tu ne peux pas te la laver tout seul ?
- Si, mais je vais me mouiller les mains et elles n'ont pas besoin d'être lavées, elles !

• • •

23 Devinette : Que dit un 9 qui rencontre un 6 ?

(Réponse : Tu es tombé sur la tête ?)

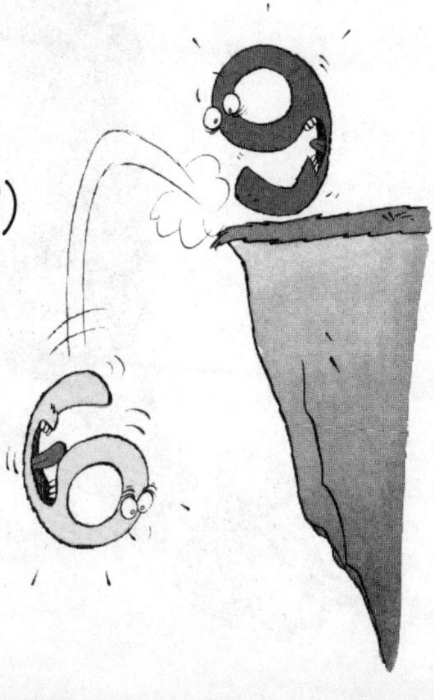

24 Léa sort une banane de son cartable et commence à la manger sans enlever la peau.

- Léa ! Tu es folle, il faut l'éplucher avant de la manger !!!
- Bof, pas besoin, depuis le temps que j'en mange, je sais ce qu'il y a dedans !

25 Deux amis sont allés voir un match de football.
Le premier ne cesse de crier depuis le début, et il commence à être enroué. Il dit à son ami :
- J'ai perdu ma voix !
Son ami lui rétorque :
- Cherche-la dans mes oreilles.

• • •

26 Maman n'est pas contente.
- Écoute, Lilian, les grands garçons de 6 ans ne sucent pas leur pouce !
- Ah bon ?
Ils sucent quel doigt, alors ?

27 Un professeur s'étonne des mauvais résultats de l'un de ses élèves.
- Je ne comprends pas : l'année dernière, tu étais un des premiers en maths et, maintenant, tu n'as même pas la moyenne. Que se passe-t-il ?
- Papa n'arrive plus à suivre.

• • •

28 Elle est grande avant d'être petite, qu'est-ce que c'est ?

(Réponse : Une bougie.)

29 L'instituteur à l'un de ses élèves :
- Tes devoirs sont mauvais !
- Pourquoi, vous les avez mangés ?

• • •

30 Le directeur de l'école n'est pas content.
- Le maître me dit que c'est toi qui as cassé la vitre de la classe, Rémi.
- Non, c'est pas vrai ! C'est Nicolas, il s'est baissé quand je lui ai lancé le ballon !

• • •

31 Deux poissons nagent dans une rivière. Il se met à pleuvoir.
- Mettons-nous à l'abri sous le pont, dit l'un d'eux, sinon on va être trempés !

32 - Qu'est-ce que tu fais, Sarah ?
- Je fais un puzzle, mais il est trop compliqué, je crois que je vais abandonner.
- Mais c'est normal que tu n'y arrives pas, ce n'est pas un puzzle que tu as pris, c'est la boîte de céréales !

• • •

33 La maman de Manon lui explique comment faire la différence entre la droite et la gauche :
- C'est très simple : tu es droitière et, donc, la droite c'est du côté de la main qui écrit.
- Ah oui, alors hier, quand je suis tombée dans la cour, je me suis égratigné le genou qui n'écrit pas !

34 M. et Mme Dupont ont cinq enfants. La moitié de ces enfants sont des filles. Comment est-ce possible ?

(Réponse : C'est très simple, l'autre moitié des enfants de M. et Mme Dupont sont aussi des filles !)

35 Un homme va chez son médecin.
- Docteur, je perds mes dents, je perds mes cheveux, je perds mes poils...
Le docteur :
- Vous devez être vraiment distrait !

• • •

36 Le docteur est très étonné :
- Mais enfin, monsieur, vous êtes en parfaite santé !
- Oui, mais la semaine dernière, je toussais et j'avais de la fièvre...
- Dans ce cas, pourquoi n'êtes-vous pas venu me voir la semaine dernière ???
- Bah... je ne pouvais pas, je vous dis : j'étais malade !!!

37 Papa trouve ses fils bien calmes, tout à coup.
- Que faites-vous, les enfants ?
- On a trouvé une pièce de 1 euro, et celui de nous deux qui dira le plus gros mensonge aura le droit de garder la pièce pour lui !
- Oh, ce n'est pas très bien, ça ! Quand j'étais petit, moi, je ne disais JAMAIS de mensonges !
Les deux enfants se regardent en haussant les sourcils.
- Bon, très bien, papa, c'est toi qui gagnes la pièce !

38 - Je peux aller à l'anniversaire de Maxime, maman ?
- Oui, mais fais bien attention, reste bien poli, ne te goinfre pas, ne cours pas partout dans la maison et ne te bagarre pas avec Adrien et Bruno comme la dernière fois, d'accord ?
- Mais... si je ne fais pas tout ça, comment veux-tu que je m'amuse ?

39 Qu'est-ce qui est vert et qui dit : « Je suis une grenouille » ?

(Réponse : Une grenouille QUI PARLE !)

• • •

Qu'est-ce qui est vert et qui dit : « Je suis un éléphant » ?

(Réponse : Une grenouille qui ment !)

40 Big Joe, un célèbre bandit du Far West, entre dans le saloon.
- À boire ! hurle-t-il. Et quand Big Joe boit, tout le monde boit !
Le barman, terrifié, sert à boire à tout le monde dans le saloon. Les clients sont ravis d'avoir une boisson gratuite, même si Big Joe leur donne la frousse.
Big Joe finit son verre, sort un dollar et le lance au barman avant de hurler :
- Quand Big Joe paye, tout le monde paye !

41 Nicolas et ses parents viennent d'arriver dans un hôtel pour les vacances. La patronne de l'hôtel leur explique les horaires de repas.

- Le petit déjeuner est servi de 7 heures à 11 heures, le déjeuner de midi à 14 heures et le dîner de 19 heures à 22 heures...
- Ah, c'est embêtant, ça ! s'écrie le petit garçon.
- Pourquoi ?
- Parce que ça ne laissera pas beaucoup de temps pour aller à la plage.

42 Les enfants, vous allez m'aider à faire la vaisselle, aujourd'hui.
- Oui, maman !
- Bon, Mélanie, tu laves la vaisselle ; Tony, tu l'essuies, et Chloé, tu la ranges dans les placards.
- D'accord, maman ! Et toi, tu fais quoi ?
- Moi... je ramasse les morceaux !

• • •

43 - Marie, peux-tu me dire comment écrire avec moins de mots la phrase : « Le cow-boy ordonne à son cheval d'avancer au galop » ?
- Oui, maîtresse : « Yaaaaaah !!! »

44 Le petit Léo court vers sa maman.
- La tente du cirque vient de s'envoler, et je crois que c'est ma faute !
- Comment as-tu fait ton compte ?
- Euh... j'ai donné de la poudre à éternuer aux éléphants !

• • •

45 - Louise, c'est toi qui as appris tous ces gros mots à ta petite sœur ?
- Non, je lui ai juste donné la liste des mots qu'il ne fallait surtout pas dire !

• • •

46 À l'arrêt de bus, maman Tortue dit à son fils :
- Ne t'éloigne pas trop, l'autobus passe dans deux heures.

47 Le maître demande :
- Est-ce que vous pouvez me dire ce que c'est que d'être poli ?
- Oui, maître : être poli, c'est ne pas dire de gros mots à quelqu'un qui pourrait aller le dire à mon père !

• • •

48 Une équipe de football part jouer en Amérique. Dans l'avion, le commandant de bord sent l'appareil bouger sans cesse dans tous les sens. Il appelle l'hôtesse :
- Mademoiselle, qu'est-ce qu'il se passe derrière ?
- Oh, rien ! C'est l'équipe qui s'entraîne...

- Débrouillez-vous comme vous voulez, mais il faut que ça cesse ! L'avion bouge dans tous les sens !
L'hôtesse s'en va... Au bout de cinq minutes, le calme revient.
Le commandant rappelle l'hôtesse et lui demande :
- Que leur avez-vous dit pour obtenir le calme si rapidement ?
- C'est très simple, je leur ai dit d'aller jouer dehors...

• • •

49 Maman gronde Romain.
- Non, Romain, tu ne prendras pas ce marteau. Tu pourrais te faire mal !
- Ne t'inquiète pas, c'est Julie qui tiendra les clous !

50 C'est le soir, dans la caverne des hommes préhistoriques.
- Allez, dit la maman préhistorique à son petit garçon préhistorique, il est l'heure de se coucher.
- Mais, maman, je n'ai pas sommeil !
- Eh bien, tu n'auras qu'à compter les dinosaures pour t'endormir !

• • •

51 Devinette : Pourquoi les fous découpent-ils leurs vêtements à carreaux avant de les laver ?

(Réponse : Parce que sur l'étiquette, il est écrit : « Laver les couleurs séparément.»)

52 - Oh, Manu, ton père vend des chaussures et tu trouves le moyen de mettre une paire complètement usée et sale !
- Et toi, alors ? Ton père, il est dentiste et ta petite sœur n'a que deux dents !

• • •

53 BOUM !
- AÏE !
- Maman ? Ça va ? Qu'est-ce qu'il s'est passé ?
- Ce n'est rien, j'ai glissé dans la cuisine et je suis tombée.
- Ouf ! Heureusement que tu n'es pas une assiette, sinon tu te serais cassée !

 Le maître raconte l'histoire des Trois Petits Cochons en classe, en essayant de faire participer ses élèves.

- « Alors le premier petit cochon rencontra un homme qui transportait de la paille dans une charrette. Il lui demanda poliment : Bonjour, monsieur, pourriez-vous me donner un peu de paille pour construire ma maison et me protéger du loup ? » Et là, les enfants, devinez ce que répondit l'homme ?

Antoine lève la main :

- Moi, je sais, maître ! L'homme s'est enfui en criant :

« AU SECOURS,
UN COCHON QUI
PARLE ! »

55 - Tu as bien compris, Baptiste ? En arrivant chez Tata, tu es bien poli et tu ne réclames pas de gâteaux avant même de dire bonjour, d'accord ?
- D'accord.
Baptiste et sa maman arrivent chez la Tata. À peine arrivé, Baptiste dit :
- Tu vois, Tata, il est cinq heures de l'après-midi, je meurs de faim, mais je fais bien ce que maman m'a dit et je ne te réclame surtout pas de bons gâteaux !

56 La maîtresse a envie de faire comprendre aux élèves que tout le monde peut se sentir bête devant une situation de la vie, un jour ou l'autre.
- Les enfants, dit-elle, je voudrais que tous ceux d'entre vous qui se sont sentis idiots à un moment ou à un autre cette année se lèvent. Après une bonne dizaine de secondes, Lili se lève de mauvaise grâce.
L'institutrice, étonnée, lui demande :
- Alors comme ça, Lili, tu penses que de temps en temps tu as eu l'air stupide ?
- Non, maîtresse, mais ça me faisait de la peine de vous voir toute seule debout...

57 Deux fous sont en safari en Afrique. Soudain, un lion sort de la brousse et se jette sur l'un d'eux. Après une dure bataille, il réussit à se dégager de la bête et à la faire fuir. Il rejoint alors son ami, tout sale, et les vêtements en lambeaux.

- Espèce d'idiot, pourquoi tu n'as pas tiré ? Ce lion a failli me tuer !

- Mais je ne pouvais pas tirer, tu m'as dit que c'était un fusil pour les éléphants...

- Papa... Je voudrais que tu m'achètes un vrai pistolet pour mon anniversaire.
- Non mais, t'es pas un peu fou ? C'est très dangereux !
- Si, je veux un vrai pistolet !
- Écoute, ça suffit, hein ! Arrête ou je vais me fâcher !!
Alors, l'enfant fait une comédie, hurlant qu'il veut son pistolet. Le papa se fâche encore plus.
- Arrête ça tout de suite ou tu auras une fessée ! Non mais, qui c'est qui commande ici ?
- C'est toi, pleurniche le gamin... Mais si j'avais un vrai pistolet...

59 Une jeune femme, déjà maman d'un petit garçon de cinq ans, est de nouveau enceinte.
L'enfant lui demande :
- Qu'est-ce que tu as dans ton ventre ?
- J'attends ton petit frère, et il pousse dans mon ventre.
Quelques jours après, sa maman reçoit la visite d'une amie qui est également enceinte. Le petit garçon la regarde et l'interroge :
- Alors, toi aussi, tu attends mon petit frère ?

60 Deux souris ont décidé d'aller au cirque.
La première reste stupéfaite en voyant un éléphant tenir en équilibre sur un œuf.
- C'est un tricheur ! dit la deuxième, je te parie que l'œuf est dur !

• • •

61 Manon regarde un chien muselé dans la rue :
- Mamie, pourquoi on l'empêche de parler ?

• • •

62 - Maman, la nouvelle confiture n'est pas très bonne.
- Quoi ? Qui te l'a dit ?
- Mon p'tit doigt...

63 Un zèbre perdu parcourt la campagne. Il aperçoit un gros taureau.
- Bonjour ! Je suis perdu ! Pourriez-vous m'indiquer le chemin du zoo, madame la vache ?
- Enlève ton pyjama, cheval, et tu vas voir si je suis une vache !

• • •

64 Le professeur dit à Tania :
- Tania, je t'avais demandé de résoudre le problème du robinet qui fuit. Certes, tu as fait un effort en faisant le problème, mais ta réponse est complètement fausse ! Comment as-tu trouvé ce drôle de résultat : 01939763430 ?
- Bah... c'est le numéro de téléphone du plombier !

65 Docteur, hier, j'ai mangé des huîtres pour la première fois et, aujourd'hui, j'ai vraiment très mal à l'estomac.
- Elles ne devaient pas être très fraîches. Vous auriez dû les sentir avant de les ouvrir.
- Ah bon, parce qu'il fallait les ouvrir ?

• • •

66 Devinette : Combien de temps peut vivre une souris ?

(Réponse : Cela dépend des chats !)

• • •

67 Cédric, si tu me dis encore une fois « pourquoi », je me fâche.
- Pourquoi, maman ?

68 Denis se tortille sur son siège, en classe.
- Que se passe-t-il, Denis ? demande le maître.
- Je voudrais aller aux toilettes, maître, j'ai très envie de faire pipi !
- Tu iras après avoir répondu à cette question :
Où est le plus grand fleuve du pays ?
Denis cesse de se tortiller et sourit d'un air gêné.
- Euh... sous mon siège.

69 Hugo joue dans sa chambre avec son petit frère qui fait un caprice parce qu'il veut être le chef.
- D'accord, dit Hugo, c'est toi le chef, mais c'est moi qui décide !

• • •

70 L'instituteur demande à ses élèves :
- Alors, les enfants, qui peut me donner une bonne définition de ce qu'est le désert ?
Louise lève la main :
- C'est un endroit où il ne pousse rien, monsieur.
- Très bien, Louise. Est-ce que tu peux me donner un exemple de désert ?
- Votre tête, maître, il n'y pousse plus rien...

71 Le directeur d'un asile de fous fait visiter le bâtiment à un journaliste :
- Au premier étage, ce sont ceux qui sont un peu fous, au deuxième ce sont ceux qui ne sont pas très fous, au troisième, ceux qui sont moyennement fous, au quatrième, ceux qui sont assez fous, au cinquième ce sont ceux qui sont très fous, au sixième, ce sont les fous dangereux.
- Et au septième étage ? demande le journaliste.
- Au septième ? C'est mon bureau !

72 Mme Escargot prépare à manger, quand elle s'aperçoit qu'elle a oublié la salade.

- Chéri, suggère-t-elle à M. Escargot, est-ce que tu peux aller me chercher une laitue dans le jardin ?

Elle continue de préparer le repas, mais une heure passe et le mari ne revient pas. Elle sort du salon pour voir ce qu'il fait, et le voit toujours au bas de l'escalier.

- Eh bien, que t'est-il arrivé ? Ça fait une heure que je t'attends !

- Oh, si tu cries, je n'y vais pas !

73 - Allô, docteur ? Mon fils vient d'avaler une souris !
- Quoi ? Bon, c'est très simple : mettez un bout de gruyère dans sa bouche, ça attirera la souris qui ressortira et on l'attrapera. J'arrive tout de suite !
Un quart d'heure plus tard, le docteur arrive et voit le garçon avec une sardine dans la bouche.
- Mais enfin, madame, je vous avais dit de mettre du gruyère !
- Oui, mais maintenant, c'est le chat qu'il faut faire sortir...

74 Une dame raconte à sa fillette de trois ans l'histoire du Petit Chaperon rouge. La gamine s'étonne :

- C'est tout ?
- Bien sûr, dit la maman. L'histoire se termine quand le loup a mangé la grand-mère et le Petit Chaperon rouge. Qu'est-ce que tu aurais voulu savoir de plus ?
- Le plus intéressant. Et la galette ? Qui est-ce qui l'a mangée, la galette ?

75 C'est un ver de terre qui, sortant de son trou, voit un autre ver à côté de lui et engage la conversation :
- Beau temps, hein ?
Pas de réponse. Un peu surpris, il poursuit néanmoins :
- Espérons que ça ne va pas se gâter ce week-end.
Toujours pas de réponse.
- Remarquez, on n'a pas trop à se plaindre cette année.
Pas de réponse.
Alors, le ver de terre rentre dans son trou en grommelant :
- Ça y est ! J'ai encore parlé à ma queue !

76 Deux amis se rencontrent sur le parking du toilettage pour chiens :
- J'emmène mon chien au toilettage parce que mon idiot de voisin est allergique à ses poils.
- Ah bon, tu ne vas quand même pas le raser totalement ?
- Non, tu rigoles... Je viens pour qu'on lui mette un produit qui rendra ses poils encore plus longs !

77 Alors, tes vacances dans le désert, c'était comment ?
- Très bien, sauf que j'ai eu un petit accident de voiture : je suis rentré dans un chameau !
- Oh ! Et ce n'était pas trop grave ?
- Non, ça allait ; ma voiture était un peu abîmée, moi, je n'ai rien eu, et le chameau s'en est tiré avec deux bosses !

• • •

78 - Rémi, je t'ai déjà dit que, quand tu tousses, tu dois mettre la main devant la bouche !
- Oui, je sais, mais j'ai essayé plusieurs fois et ça ne m'a jamais empêché de tousser !

79 Devinette : Que faut-il absolument faire pour pouvoir éteindre une bougie ?

(Réponse : Pour absolument pouvoir éteindre une bougie, il faut d'abord... l'allumer !)

• • •

80 Un fou entre dans un magasin d'électroménager pour s'acheter une télé.
Il va voir un vendeur :
« Bonjour, monsieur, je voudrais acheter cette télé. »
Le vendeur :
« Désolé, on ne vend pas aux fous. »
Déçu, le fou rentre chez lui et se déguise.

Il met une fausse barbe, de fausses moustaches, un grand chapeau, et retourne au magasin.
Il va de nouveau voir le vendeur :
« Bonjour, monsieur, je voudrais acheter cette télé. »
Le vendeur, énervé, lui répond :
« Je vous ai déjà dit qu'on ne vendait pas aux fous ! »
« Mais comment vous m'avez reconnu !? »
« C'est pas une télé, c'est un four micro-ondes ! »

• • •

81 Une petite fille arrive de l'école très en colère.
- Maman, si j'avais une gomme magique, j'effacerais tous les garçons.

82 La maîtresse demande à son élève :

- Si je dis : « Je suis belle », à quel temps est-ce ?
- Vu que vous n'êtes pas très belle, c'est sûrement du passé, maîtresse !

83 Dans un parc, deux jardiniers travaillent. L'un creuse un trou et l'autre attend une minute et le rebouche. Un passant intrigué leur demande :
- Excusez-moi, ça fait un moment que je vous observe et je ne comprends pas pourquoi vous creusez un trou pour le reboucher tout de suite après ?
- Oh, c'est simple ! répond l'un des jardiniers. D'habitude, on est trois, mais celui qui plante les arbres est absent aujourd'hui...

• • •

84 Devinette : Qu'est-ce qui sépare le sourire des larmes ?

(Réponse : Le nez !)

85 - Lucas, même si mamie cuisine très mal, ce n'est pas une raison pour casser son carrelage en laissant tomber une pierre dessus !
- Ce n'est pas une pierre, papa, c'est une part de son gâteau...

• • •

86 Éric, pourquoi est-ce que ton frère pleure comme ça ?
- Bof, je crois que c'est parce qu'il me voit manger un gâteau. Faut pas faire attention, de toutes façons, c'est un grincheux, il pleurait déjà quand j'ai mangé le sien !

87 CONSEIL PRATIQUE : Quand vos parents vous disent que vous êtes trop petit pour vous coucher tard ou que vous ne pouvez pas regarder un film parce que vous êtes un enfant, rappelez-vous bien ceci : les adultes, ce sont juste des enfants qui ont grandi !

88 Le médecin à son patient :
- Allons, buvez ce médicament, et vous vous sentirez mieux.
Le patient boit.
- C'est tout, docteur ? Ça va me guérir complètement ? Et ça agit en combien de temps ?
- 10, répond le médecin.
- 10, mais 10 quoi ? dix semaines ? dix jours ?
- 10, 9, 8, 7, 6...

89 Devinette : Quand peut-on être sûr qu'une princesse n'a vraiment pas de chance ?

(Réponse : Quand, au bout de plusieurs années à attendre en haut de la plus haute tour d'un sombre donjon, un prince charmant la trouve enfin, l'embrasse... et qu'il se tranforme en crapaud !)

90 Une maman va voir le maître de son fils.
- Est-ce que vous pourriez me dire pourquoi mon fils ne revient qu'avec des zéros !?
- Oui, madame, c'est parce qu'il n'existe pas de note plus basse...

91 - Xavier, tu as vingt fautes dans ton examen. Et ce n'est pas tout : ce sont les mêmes fautes que ton voisin. Comment cela se fait-il ?
Xavier réfléchit rapidement et répond :
- Euh... c'est parce que nous avons le même maître... ?

• • •

92 - Papa, papa, je suis allé à la ferme ! Il y avait plein de cochons !
- Et alors ?
- Eh ben, ils parlaient comme toi quand tu dors !

93 Une voyante prédit l'avenir à sa jeune cliente :
- Vous épouserez un homme beau, riche, jeune et intelligent !
- Ah ? Et mon fiancé, qu'est-ce qu'il va devenir ?

• • •

94 - Qu'est-ce que tu as demandé au père Noël, cette année ?
- Je lui ai demandé de passer plus souvent.

• • •

95 Mamie, est-ce que tu as de bonnes dents ?
- Malheureusement non, mon petit...
- Très bien ! Tu peux surveiller mes caramels ?

96 Trois souris sont assises devant un morceau de fromage, discutant de tout et de rien.
Soudain, l'une d'elles s'exclame :
- Moi, je suis très forte, sans vouloir me vanter ! J'arrive à déjouer les pièges à souris en les soulevant avec mes pattes arrière. Ça fait tomber le bout de fromage, et le tour est joué !
- Moui ! dit sa copine, mais moi, je suis plus forte encore. Les grains de blé empoisonnés que les hommes mettent dans les caves ne me font rien du tout. J'en mange chaque midi et chaque soir, et je suis complètement immunisée.
La troisième se lève en s'excusant :
- Vous êtes très fortes, effectivement... Je dois vous laisser, c'est l'heure de mon cours de boxe avec le chat.

97 Un père et son fils visitent le zoo.
- Tu préfères aller voir le tigre mangeur d'hommes, ou le singe mangeur de bananes ?
- Euh... je préférerais voir l'enfant mangeur de barbe à papa !

• • •

98 Le dentiste à son patient :
- Écoutez, j'ai une bonne et une mauvaise nouvelle pour vous.
- Commencez par la mauvaise...
- Je dois vous enlever quatre dents !
- Quatre dents ! C'est terrible ! Et quelle est la bonne nouvelle, alors ?
- Toutes les autres dents sont tellement mauvaises qu'elles vont tomber toutes seules, et ça ne vous coûtera pas un sou !

99 Lucas voit Tony à quatre pattes dans la cour de l'école.
- Qu'est-ce que tu cherches, Tony ?
- Je cherche un billet de 20 euros.
- Quoi ? C'est une grosse somme ! Je vais t'aider à chercher. Mais les minutes passent et les deux copains ne trouvent rien.
Lucas demande :
- Tu es sûr que tu as perdu ton billet ici ?
- Je n'ai pas dit que j'avais perdu un billet, mais juste que j'en cherchais un !

100 Devinette : Un homme mange un œuf chaque jour pour son petit déjeuner. Il n'a aucune poule chez lui. Il n'achète jamais d'œufs. Il n'emprunte jamais d'œufs. Il ne vole jamais d'œufs. Il n'en reçoit pas en cadeau. Comment fait-il pour manger un œuf par jour ?

(Réponse : Chaque jour, notre homme mange un œuf de cane...)

• • •

101 Devinette : Ce matin, le fermier s'est acheté un objet qui a vexé son coq. Quel est cet objet ?

(Réponse : Le fermier s'est acheté un réveil.)

102 Deux enfants se trouvent de chaque côté d'une rivière.
L'un crie à l'autre :
- Hé, comment on fait pour se rendre de l'autre côté ?
- Hein, mais tu es bête ou quoi, t'es déjà de l'autre côté !

• • •

103 Pendant la classe, au temps de l'Égypte antique, en pleine dictée, le petit Aménophis pousse du coude son voisin :
- Hé, pssst, « poule », ça s'écrit avec deux ou quatre pattes ?

104 - Papa, aujourd'hui, j'ai gagné 3 euros.
- Comment as-tu fait ?
- M. Dubois m'a donné 1 euro pour que je lave sa voiture. Et quand il a vu le résultat, il m'a donné 2 euros pour que je ne la lave plus jamais !

105 Dans un grand magasin, une femme s'énerve après une vendeuse.
- C'est incroyable, ça ! Ça fait une heure que j'essaye vos chapeaux et pas un ne me va !
- Oh, c'est normal, madame, vous êtes au rayon des casseroles et des poêles...

106 Le voisin du dessous frappe à la porte. Dès qu'elle s'ouvre, il hurle :
- Vous ne m'avez pas entendu taper avec mon balai au plafond !?
- Oh, ne vous en faites pas, ici aussi, on fait beaucoup de bruit !

107 - Dis, papa, qu'est-ce qui a quatre pattes et qui crie « Cocorico » ?
- Euh... je ne sais pas.
- Un coq !
- Un coq ? Mais ça n'a pas quatre pattes, un coq !
- Je sais, mais si j'avais dit deux pattes, tu aurais trouvé tout de suite !

108 La maîtresse interroge Rémi.
- 5+5 ?
- Dix !
- Très bien, tu as 20 sur 20.
- Quarante !

• • •

109 Deux ballons rebondissent dans le désert.
Tout à coup, l'un d'eux s'écrie :
- Attention, un cactusssssssssss... !

110 Une dame trouve un chat dans son réfrigérateur. Le chat est en train de se bâfrer de beurre, de lait et de crème Chantilly. Elle essaye de le sortir du frigo, mais, miaou ! grr ! le chat ne se laisse pas faire et la griffe au bras. Désespérée, elle appelle son mari.
- Chéri ! Il y a un chat dans notre frigo, il m'a griffée !
Le mari arrive, l'air renfrogné, et essaye à son tour d'enlever le chat du réfrigérateur. Mais, là encore, miaou ! grr ! le chat se rebiffe. Alors, le mari se jette sur le chat, MIAOU ! GRR ! qui griffe, crache et mord là où il peut. Finalement, l'homme réussit à passer la porte d'entrée, MIAOUU ! GRRR ! avec le chat, et la porte claque.

Son épouse va dans la cuisine et entreprend de réparer les dégâts. Peu après, la porte d'entrée claque à nouveau.
- Alors, chéri, tu as réussi à te débarrasser de ce chat enragé ?
Et là, une petite voix répond :
- Miaou ! grr !

• • •

111 Lors d'une bagarre, une maman dit à ses enfants :
- Bon, les garçons, ça suffit maintenant, sinon je vais en prendre un pour taper sur l'autre !
Et le petit Thomas d'ajouter :
- Tu me choisis, maman, et je vais taper sur Quentin !

112 Un type entre dans un hôtel. Il voit un chien et demande au réceptionniste de l'hôtel :
- Il est gentil, votre chien ?
Le réceptionniste :
- Oui, il est gentil.
Le client caresse alors le chien, qui lui saute dessus et le mord !
Le client s'adresse au réceptionniste :
- Mais... vous m'aviez dit que votre chien était gentil !
- C'est vrai, mais ce chien-là, ce n'est pas mon chien !

• • •

113 - Papa, quand je suis né, qui m'a donné mon intelligence ?
- Sans doute ta mère parce que moi, j'ai encore la mienne !

114 - Baptiste, tu éteins la télé, s'il te plaît.

- Mais je la regarde, maman.
- Comment ça ? Tu es en train de lire une BD, tu ne peux pas la regarder en même temps !
- Mais si, je la regarde avec mes oreilles.

115 Pardon, monsieur ! demande un garnement à un passant. Pourriez-vous me donner l'heure, je vous prie ?
- Bien sûr, mon petit. Il est 16h10.
- Merci, monsieur. À 16h30, vous pourrez embrasser mon derrière ! Et le gamin détale en courant. Le monsieur, outré, se met à poursuivre le gosse, mais, au bout de quelques mètres, il se heurte à un policier.
- Holà ! s'indigne le policier. Où allez-vous d'un pas si pressé ?
- Je poursuis ce garnement qui m'a dit qu'à 16h30 je pourrais embrasser son derrière !
Le policier regarde sa montre.
- Pas besoin de courir ! Il vous reste quinze minutes !

116 Devinette : Qu'est-ce qui a deux bosses et qu'on trouve au pôle Nord ?

(Réponse : Un chameau qui s'est bien perdu !)

117 Une dame arrive chez le vétérinaire, un aspirateur à la main :
- Alors, madame Dubois, je vois que vous avez encore eu des problèmes avec votre caniche...

• • •

118 Un patient se plaint au médecin :
- Docteur, personne ne me prend au sérieux.
- Allons, vous voulez rire ?

119 Le maître d'école vérifie que les élèves ont bien appris leur leçon.
- Denis, donne-moi quatre membres de la famille des félins.
- Euh... Le papa félin, la maman félin, le fils félin, la fille félin ?

120 Victor, qui vient de prendre son bain, va voir son père.
- Il faudrait que tu cesses de te faire des shampooings à l'œuf, papa, parce qu'on voit la coquille sur ta tête !

• • •

121 Un garde-pêche se fâche :
- Hé ! Vous n'avez pas le droit de vous baigner ici !
- Mais je ne me baigne pas, je me noie !
- Ah bon ? Alors c'est différent, excusez-moi.
Bonne journée, monsieur !

122 - Cédric, cesse de lécher ce couteau, tu pourrais te blesser la langue et tu ne pourrais plus parler pendant quelques jours !

- Ah ça, c'est ma maîtresse qui serait contente !

123 Un coq fait les cent pas devant une maternité. Soudain, une infirmière sort.
Il se précipite vers elle et lui demande :
- Alors ? Qu'est-ce que c'est ?
Et l'infirmière de répondre :
- Félicitations, monsieur, c'est un œuf !

• • •

124 Devinette : Je passe ma vie à effacer les erreurs des autres. Qui suis-je ?

(Réponse : Une gomme.)

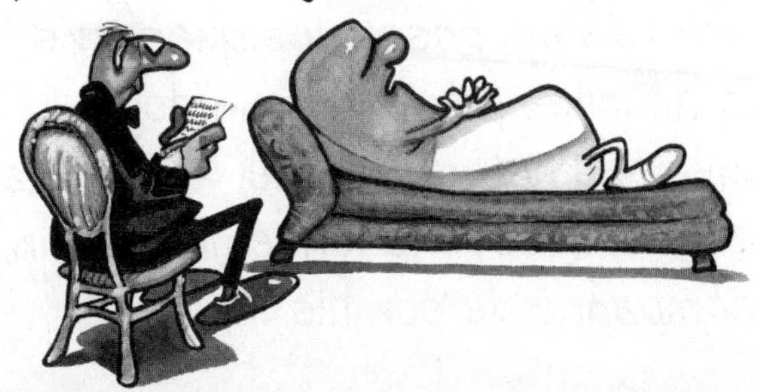

125 - Je ne comprends pas, docteur : vous me prescrivez des gouttes pour les yeux alors que je me suis blessé au doigt ?
- C'est simple : si vous aviez bien vu ce clou, vous ne vous seriez pas tapé sur le doigt !

• • •

126 Maxime tend son livret à son papa.
- Maxime ! C'est une catastrophe ! Tu as des zéros partout !
- C'est pas ma faute, papa, c'est la maîtresse, elle me déteste. Elle fait exprès de me poser des questions trop difficiles pour que j'aie des mauvaises notes. Indigné, le père va voir la maîtresse le lendemain matin, accompagné de son fils.

- Alors, madame, dit-il furieusement, il paraît que vous détestez Maxime et que vous lui posez des questions trop dures pour son âge ?
- Mais pas du tout, monsieur, répond la maîtresse, très impressionnée. Enfin, voyons ! Euh... Maxime, combien font 2 + 2 ?
Là, Maxime se tourne vers son père.
- Tu vois, ce que je te disais ? Elle recommence !

• • •

127 Devinette : Tant que je vis, je dévore tout sur mon passage. Dès que je bois, je meurs. Qui suis-je ?

(Réponse : Le feu !)

128 Un labrador passe des tests pour devenir chien policier. L'homme, chargé de lui faire passer les examens, lui dit :
- Pour devenir un chien policier, il faut savoir taper à la machine, au moins cinquante mots par minute.
Le labrador s'assied devant la machine et tape quatre-vingts mots à la minute.
- Parfait, dit l'homme. Vous devez aussi réussir le parcours d'obstacles en moins de dix minutes. Le labrador saute les obstacles un par un et termine en quatre minutes. Un vrai record.
- Très bien, le félicite l'homme. Mais il y a une dernière condition : pour devenir chien policier, il faut savoir parler deux langues.
Le labrador le regarde et dit :
- Miaou.

129 Angelo, très pressé d'aller aux W.-C. essaye d'ouvrir la porte qui est fermée parce que son papa est à l'intérieur.

Son papa lui dit :

- C'est occupé !

Angelo répond :

- Non, papa, c'est pas Occupé, c'est Angelo !

130 Un portier à l'air très fatigué ouvre la porte d'un grand hôtel à une dame très chic.

- Cela doit être épuisant d'ouvrir et de fermer cette porte tout le temps, lui dit-elle.
- Oui, madame.
- Cela fait mal au bras ?
- Non, madame.
- Vous aimez mieux ouvrir la porte ou la fermer ?
- Je n'ai pas de préférence, madame.
- Alors c'est la chaleur qui vous fatigue ?
- Non, madame.
- Quoi alors ?
- Les questions qu'on me pose, madame.

131 Devinette : Combien de terre y a-t-il dans un trou de 1m de long, 1m de large et 1m de haut ?

(Réponse : Ne vous cassez pas la tête : dans un trou, il n'y a pas de terre !)

132 C'est un fantôme qui dit à un autre fantôme :

- C'est génial, demain on va récolter plein de cadeaux et de bonbons sans même nous déguiser !
- Ah bon, et comment ?
- On fête Halloween !!!

133 - Qu'est-ce que la légitime défense ? demande la maîtresse à Toto.

- C'est quand mes notes sont tellement mauvaises que je suis obligé de signer moi-même mon carnet.

• • •

134 Devinette : Quelle différence y a-t-il entre mon papa et mon chat ?

(Réponse : Aucune, tous les deux ont peur de l'aspirateur !)

135 À Noël, une petite fille décore son premier sapin avec sa mamie. Sa maman lui demande :
- Alors, il te plaît le beau sapin de Noël ?
- La petite fille :
- Ce n'est pas le sapin de Noël, c'est le sapin de mamie !

• • •

136 Devinette : Savez-vous pourquoi les pompiers portent des bretelles rouges ?

(Réponse : Bah... pour tenir leur pantalon !)

137 Un type va voir le psychiatre :
- Docteur, j'ai un problème.
Ma femme se prend pour moi.
Le médecin :
- Bon, alors, envoyez-la-moi.
Le type répond :
- Mais, docteur, je suis là !

138 Un instituteur fait remarquer à un de ses élèves :

- C'est très curieux mais, sur ce devoir de mathématiques, il me semble reconnaître l'écriture de ton père.
- Ça ! fait le gamin, ce n'est pas étonnant, je me suis servi de son stylo !

139 Louis arrive en retard à l'école. La maîtresse lui demande :
- Pourquoi es-tu en retard ce matin, Louis ?
- Ben, je rêvais que je regardais un match de foot à la télévision, et il y a eu des prolongations. Alors, je suis resté !

• • •

140 Un fou entre dans une boulangerie. Il est plein de tics et s'exprime difficilement. Il commande un énorme gâteau d'anniversaire.
La boulangère lui fait la conversation :
- Il est pour qui, ce beau gâteau ?
- C'est pour ma 'tite soeur, elle a 12 ans au... au... aujourd'hui !
- Et comment s'appelle-t-elle, votre petite sœur ?

- Elle s'appelle Pétale !
- Pétale ! Quel joli prénom ! s'exclame la boulangère.
- Oui, on l'a appelée comme ça parce que... que... que le jour où elle est née, alors qu'elle dormait dans... dans... dans son berceau, un pétale de rose poussé par le vent est venu se poser délica-ca-catement sur elle. Alors, on l'a appelée Pétale...
- Et vous, comment vous appelez-vous ?
- Moi, on m'appelle Poutrelle !

• • •

141 Un gars essaye de vendre son chien à un de ses copains.
- Achète-le, c'est une affaire !

C'est un chien qui parle ! Je te le vends pour 10 euros.
- Un chien qui parle ? À 10 euros ? Tu te fiches de moi !
Or, le chien lève le museau et se met à parler.
- S'il vous plaît, supplie-t-il, achetez-moi, je ne veux plus rester avec cet homme cruel qui me bat et qui ne me donne jamais à manger... Je vous en prie, je vous ferai la vaisselle, j'irai faire vos courses, mais ne me laissez pas avec ce monstre !
Le copain est estomaqué.
- Mais c'est un chien qui parle ! Il parle vraiment ! T'es fou de le vendre 10 euros, il vaut une fortune ! Pourquoi tu veux t'en débarrasser ?
- Parce que j'en ai marre : il ne peut pas s'empêcher de mentir !

142 À la ferme, deux petits garçons voient une portée de porcelets téter le lait d'une truie.

- Elle est drôlement grosse, la truie !
- Normal, lui répond son copain. Tu vois les huit petits cochons qui la gonflent ?

143 C'est incroyable : mon fils qui n'a que 3 ans sait dire son prénom aussi bien à l'endroit qu'à l'envers, dit une maman à une dame.
- Mais comment s'appelle votre fils ? demande alors la dame.
- Il s'appelle Bob !

• • •

144 Une maman demande à la maîtresse d'école comment se comporte son fils en classe.
- Il est très intelligent, mais il perd beaucoup de temps à bavarder avec les filles.
- Si vous trouvez le moyen de le corriger, dites-le-moi ! J'ai le même problème avec son père !

145 - Tony ! Ça suffit ! C'est la troisième fois que je te vois regarder sur le cahier de ton voisin !
- C'est normal, maîtresse, il écrit tellement mal que je n'arrive pas à copier !

146 La maîtresse demande :
- Par quelle lettre commence « hier » ?
Jonathan lève la main :
- Par un « d », maîtresse.
- Tu fais commencer « hier » par un « d » ?
- Ben, hier, on était bien dimanche ?

• • •

147 Une petite fille rentre de l'école très en colère.
- Ça alors, ils exagèrent ! Pourquoi ils paient la maîtresse alors que c'est nous qui sommes toujours en train de travailler !

148 Une maman à son fils :

- Si tu manges encore du gâteau, tu vas exploser !
- T'inquiète pas, maman, donne-moi une part et écarte-toi de quelques mètres...

149 Un invité murmure à sa voisine :
- Le champagne vous rend jolie.
- Mais je n'en ai pas bu une seule coupe !
- Oui, mais moi j'en suis à ma dixième.

• • •

150 - J'ai deux nouvelles à t'annoncer.
- Commence par la bonne.
- Non, non, ce sont deux mauvaises !

151 - Louis, tu veux bien donner ton camion à ton petit frère ?
- Je veux bien.
- C'est très gentil de ta part.
- Oui, mais il faudra m'en acheter un neuf !

152 Une petite fille demande à sa maman :
- Dis, maman, quand j'étais dans ton ventre, comment as-tu su que je m'appelais Linda ?

• • •

153 Devinette : Que faut-il faire lorsqu'il y a dix fantômes autour de votre maison ?

(Réponse : Il faut espérer que ce soit Halloween !)

154 À un concours de tir à l'arc, trois compétiteurs s'affrontent. L'épreuve est simple : il faut tirer sur une pomme qui est placée sur la tête d'un jeune homme, à cinquante mètres de distance. Le premier concurrent se place, tend son arc, ferme un œil pour viser et tire. La flèche tourne dans l'air à la vitesse du vent et se plante en plein dans la pomme. Le concurrent regarde ses adversaires en souriant.
- Je suis... Guillaume Tell.
Le deuxième compétiteur se place, tend son arc, ferme un œil et tire. La flèche tournoie dans l'air et se plante, là encore, au milieu de la pomme. L'archer regarde ses adversaires en souriant.
- Moi, je suis... Robin des Bois.

Le troisième concurrent se place, tend son arc, ferme un œil et tire. La flèche dévie de sa trajectoire et se plante dans le pied du jeune homme qui tient la pomme sur sa tête. Le concurrent regarde ses adversaires d'un air malheureux.
- Je suis... désolé.

• • •

155 Devinette : Qu'est-ce qui a de la bave enragée, 124 dents ensanglantées, 10 yeux jaunes, 18 pattes griffues et l'air de ne pas avoir mangé depuis des mois ?

(Réponse : Vous ne savez pas ? Moi non plus, mais FUYEZ !!!!)

156 Un homme boit de l'alcool à un bar. Sur le comptoir, il y a une petite souris qui ingurgite toutes les gouttes que l'ivrogne renverse. À deux heures du matin, complètement ivres, le client et la souris sortent du bar en chantant à tue-tête. Ils chantent si fort qu'un type furieux ouvre sa fenêtre pour se plaindre.
- C'est pas fini ce raffut ! Je vais appeler la police !
L'ivrogne lève son poing.
- Qu'est-ce qu'y a ? T'es pas content ? Descends, si t'es un homme !
Et la petite souris d'ajouter :
- Ouais, descends ! Et amène ton chat, que je lui fasse sa fête !

157 Une petite fille prend la parole en classe pour raconter à sa maîtresse son aventure du matin :
- Maîtresse, ce matin en venant à l'école, j'ai trouvé une feuille morte... alors, je l'ai enterrée !

• • •

158 Le chien de ma voisine est tellement poilu qu'on ne sait pas où est sa tête et où est sa queue !
- Facile, pourtant : tire-lui la queue et s'il te mord, c'est que c'est sa tête !

159 Un fou prend le bus tous les matins et, chaque fois, il achète deux tickets pour le même trajet. Comme cela tous les matins. Au bout d'une semaine, le contrôleur, très intrigué, l'interroge :
- Écoutez, pourquoi donc achetez-vous deux tickets alors qu'un seul suffit ?
- C'est très simple, explique le fou. Je mets un ticket dans ma poche droite et l'autre dans ma poche gauche. Si je perds le ticket de la poche droite, il me reste celui de la poche gauche. Si je perds celui de la poche gauche, j'ai encore celui de la poche droite !
- Ah oui ? Et si vous les perdez tous les deux en même temps ?
- Ce n'est pas grave, rétorque le fou, j'ai un abonnement !

160 - Docteur, je voudrais perdre du poids.
- Hmmm. Très bien, je vais vous prescrire un cadenas.
- Un... cadenas ?
- Oui, pour mettre sur la porte de votre réfrigérateur !

161 Anaïs est à table :
- Maman, passe-moi le pain.
Papa se fâche :
- S'IL TE PLAÎT, MAMAN, passe-moi le pain !
- Oh non, papa, c'est moi qui l'ai demandé en premier !

• • •

162 Garçon, c'est inadmissible !!!
- Quoi donc, monsieur ?
- Il y a une mouche qui grignote mon fromage !!!
- Oh, désolé, monsieur ! J'espère qu'elle vous en a laissé !

163 Un petit garçon de 4 ans arrive avec une montre en classe. Les yeux fixés sur le cadran, il s'exclame :
- Je ne peux jamais savoir l'heure, elle n'arrête pas de tourner !

• • •

164 Devinette : Dans quel métier est-on sûr de voir sa clientèle grandir de jour en jour ?

(Réponse : Pédiatre, médecin pour enfants.)

165 Devinette : Un train électrique roule d'est en ouest.
Question : Dans quelle direction va la fumée ?

(Réponse : Aucune, il n'y a pas de fumée : c'est un train électrique !)

• • •

166 - Sarah, tu vas avoir un petit frère !
- Oh non !
- Comment ça, « Oh non ! » ? Tu ne veux pas de petit frère ?
- Si, je veux bien, mais seulement un frère fille !

167 Un ogre prend l'avion pour la première fois.
Au moment du repas, l'hôtesse lui apporte le menu, mais l'ogre a l'air très déçu.
- Vous ne pourriez pas plutôt m'apporter la liste des passagers ?

• • •

168 - Alors, est-ce que tu aimes l'école ? demande la mamie de Julien.
- Oui, mais c'est long entre les récréations...

169 Dans un restaurant, un homme demande au serveur :

- Garçon, vous qui connaissez bien la cuisine du patron, qu'est-ce que vous me conseillez ?

- Franchement, je vous conseille d'aller dans un autre restaurant, monsieur...

170 Dans une cour de récréation, un élève en menace un autre :
- Dis UN mot, UN SEUL, et je te casse la figure !
- Espèce d'idiot !
- Bon, très bien, ça fait DEUX mots ! Tu as de la chance !

• • •

171 Un homme entre dans un café avec un super berger allemand, et montre son chien avec beaucoup de fierté, décrivant ses muscles puissants, ses dents aiguisées et tranchantes, et son poil si doux. Bientôt un petit homme entre à son tour, accompagné d'un grand chien jaune tout maigre avec des grosses pattes.

L'homme au berger allemand sourit ironiquement, mais le chien jaune se jette sur son beau berger et l'assomme en dix secondes.
- Que... QUOI ? Votre chien jaune à grosses pattes a assommé mon beau chien musclé ? Il me le paiera ! Attendez ici, je reviens !
Effectivement, dix minutes plus tard, il revient avec deux gros rottweillers qui attaquent le chien jaune sans ménagement, mais, pif ! paf !
les deux rottweillers sont assommés à leur tour sans difficulté par le chien jaune tout maigre.
- Quoi ! Votre chien jaune à grosses pattes a battu mes chiens ? Attendez-moi ici, je vais lui faire avaler sa queue, moi !

Il revient encore dix minutes plus tard avec deux dobermans enragés qui fondent sur le chien jaune et qui, pif ! paf ! sont assommés eux aussi en dix secondes par le chien jaune à grosses pattes. Cette fois, le propriétaire des chiens s'approche du petit homme au chien jaune et demande :
- C'est quoi, la race de ce chien ? Il est très fort !
- Je n'en sais rien, dit le petit homme. Tout ce que je peux vous dire, c'est qu'il était bien plus fort quand il avait sa crinière.

• • •

172 ROMANTIQUE : M. Cierge invite Mlle Bougie à dîner aux chandelles.